THE RICHT NOISE

AND ITHER POEMS

A

THE RICHT NOISE

AND ITHER POEMS

RAYMOND VETTESE

LINES REVIEW EDITIONS

MACDONALD PUBLISHERS
EDINBURGH

ISBN 0 86334 062 8

Published in 1988 by
Macdonald Publishers
Loanhead, Midlothian EH20 9SY

*The publisher acknowledges
subsidy from the Scottish Arts Council
towards the publication of this volume*

X2
VET
7.
981349

Printed in Scotland by
Macdonald Printers (Edinburgh) Limited
Edgefield Road, Loanhead, Midlothian EH20 9SY

For
MY PARENTS
and
TREVOR JOHNS

Acknowledgements

Acknowledgements are made to the editors and publishers of the following magazines in which some of the poems in this volume have previously appeared: *Akros, Aynd, Chapman, Lallans, Lines Review, Radical Scotland.*

Contents

I

THE RICHT NOISE

Part One

PROLOGUE

Ae nicht I sat by mysel at the fire
and thocht. Nae soond in the street forbyes
the wun blawin thro the telephone wire.
A quarter-muin gied but sma licht, starns,
in clood, barely shone: a dour compromise
'twixt soond, silence, dairk, licht—
the ootward cast o the state o my harns,
catched in a swither, whiles shair o the richt,
whiles thrawed wi doot . . . this maitter's fasht me lang,
th' uprisin o Scots, och, I micht be wrang.

Mebbe aa this cuid but connach braith.
There's monie a gow gaed aifter a wile,
fu-shair o't, yet fun', disjaskit, sair daith,
no hecht o life. Ay, and sae it micht be
wi mysel, and my foot'rin phraisie style:
snashgab, nocht mair, a silly dashelt screed,
bummlin aboot, barmy on words, skinkin orra bree—
ach, the thocht o the waste is whit I maist dreid,
waste o span hundin a deein cause,
my thick bluid dreepin clause by clause.

Whit's the point in this dootsum endeavour
tae bring back whit's lang gane, whit purpose?
Mebbe the fowk wha say it's gane forever
are richt, and mebbe I should turn awa
frae sic daft notions. Yet I'm thirlt til this,
I canna gie it owre, it's stuck in me
like faith, ayont reason. It's my weird's caa,
or sae I blaw, tae shaw whit it micht be,
this leid, yased aricht. That's mebbe a fraik
but's the brag that sets me oot on this raik.

13

I hae a vision o Scotland set free
and freedom and language tae me is ane.
I hae a vision that Scotland micht be
itsel again, its present and its past
souderet for the future's sake, tho the pain
o Freedom's no easy nor wantin doot
and whiles I dae nocht but staun aghast
at the thocht o't, feel the strength sypin oot
frae sickerness, as I dae this hauf-nicht
fu o gloamin unease, an' dootsum licht.

The toon is quiet, only noo and then
swippert feet dunt in the tuim street ayont.
I sit and think on the likely again,
speir the chances o mendin, the chances
o hinmaist decline, a doonfaa no alunt
wi ae laist leam, but dairk wi dreich smirr
o lichtless silence. Nae gleg hope dances
on sic a nicht whaun nae sunk life can stir,
yet I maun rise abuin the lair o wanrufe
or slutter in't, wae-gowpin, a slottery coof.

I set my compass tae a fremmit airt,
reenge aifter yon driven starn, let it lead
whaur it will, ayont stoundin fearfu hairt;
fling aff my trauchelt thochts and stramp oot
on the lang traik til the truth in my heid
that winna be lowsed save in words like these.
It's aiblins daft, this ploiter o pursuit
owre bitter acres whaur the braith micht freeze,
but it's the ae gait, I doot, for me.
Somewhaur the bield and the green maun be.

MAKARS

A richer grund nor oors' they howkit.
I tramp athort fields for a look,
gowk on hirsty soil, hear the hungert craw
hoast owre a dwaiblie stook.

Nae eneuch here tae stap moose-wame
forby stuff barn or rise guid breid;
the craw's richt, famine rooks the land
and ilka cratur's in a thratch frae need.

And yet, a new hairst aye maun lowp.
E'en in the warst o times the frosty grupp
canna smush aa seeds. Something dairkly yet
shudders alow shairly, an's heavin up?

THE RICHT NOISE

No words alane but the soond
tint, smeddum o vowels foond
lowpin thegither in unco dance—
an' no there by chance.
Raxin consonants sinnened for battle;
the richt noise tae hurl at the storm's rattle!

No juist onie will dae:
cantrips in ilka word ye say,
ilka shape ye mak in air,
an' gin yon's gane whit a howe's there,
an' tho it maun be saired by ither words
gin they hinna the lear they're but dautit cage-birds
freed tae fend wi the sanshach craws
that ken the wun's airt afore it blaws;
thae winsome craturies peeplin a tune
'ill be an houlet's denner gey soon.

Ye canna pit on anither's feathers
an' be whit ye were, nor e'en anither's blethers.
Pit on anither's soond,
or lang ye'll find the thrapple's boond
and winna mak the richt connection
'twixt the warl and yersel. It's natural selection
o a kind's made thir,
bred intil them the needfu virr
that's oot o us and in us yet, oor kith—
but sic things 'ill gae as swith
as Amazon Forest, gin ye let it,
and it's mair nor a word, a soond, gif ye forget it,
it's a haill country that's hidden
and tae oor ingyne's forbidden
lessen we jalouse we've had oor fill
an' tak upon's oor ain kirk or mill.

Tak up the words, the hameart tools,
and wi 'em we'll howk f'ae deepest mools
the body yet an' find the hairt,

no wizzent, juist needin a stairt,
and the bluid'll gae dirlin
and een open and the mooth's skirlin:
"Wha yirdit me here? Whitna evil's this?
Wha gied tae me the Judas kiss?
Set up fause gods? Ay weel, I'm back,
an' nae afore time. Gin it's truth ye lack
I'm stappit-fu, it's been haudden doon
lang eneuch; here's the wyce tune
aince mair awa an' dinnillin lugs
wi a wow! that disna lippen on drugs
but's a ferlie gien a dicht tae the glum,
tae ilka thowless squeef, tae aa we've become.
Coor nae mair, here's generations o soond
that'll roose ye or Scots—and Scotland's—unboond;
raxin consonants sinnened for battle,
the richt noise tae hurl at the storm's rattle!"

IN THE KEY O TRUTH

See him, wi canty smile, couthie sang,
(and kilt, of coorse) plunkt doon amang
the ruins o some castle. Stops. Here's
the moment for ingan tears.
An airm streetches oot. "Surrounded by history,"
he declares, syne yorples owre the mystery
o the past that's in us yet frae us apairt
a wee-bit sang wi mush at the hairt—
ye'll ken the like? Bairns an' flooers
an' ring-a-rosy in tentless 'oors,
an' he canna, or winna, see in this moment
he's made the soorest, maist bitter comment.
Here's irony, shairly, in this eemage noo.
While thoosans dwinnil on the Broo
he maks o Scotland a country o mist,
o touristy ruins and tunes that insist
nocht's wrang in Brigadoon,
aa's blythe whaur ilka lass and her loon
rowe in a plaidie. This is whit he gies,
and waur, the feck wad hae that ease
raither than swite i the warsle tae see
Scotland as it is and as it micht be,
or tak intil themsels the fushion o oor past,
but wad hae, insteid, a deidly cast
o tartan singers whause Hielan bluid,
gif they hae onie, is but slush and mud.
There's a saftness in us, in despite
o man-talk o "poofter Southron shite."
It's a saftness that comes, I doot,
frae years o yirdin the cause's root.
We've gien up the rule o oorsels
tae ithers, and whaur nae pooer dwells
nae true pride bides. This lad, wi's wersh sangs,
is the puir gyte o monie wrangs,
maist sel-dunted. Sic deep wounds
maun be sel-mended. It's nae 'yont the boonds
o fortune yet that we micht tak a turn
but ach, time and again we seem tae spurn

the main chance and settle insteid
for this, nae fit for either hairt or heid.
We shauchle intil daith's dour valley
doon the tinklin gait o Scotland's tin-pan-alley.
Yet whit mair can we expeck,
gif three meenits maudlin 'ill dae the feck
and hing the haurd truth?
Scotland's aye the haflin, wi the warst o youth,
wi its brag, its doot, its shairness wrocht
no on reflection but simplistic thocht.
Scotland's aye the haflin but withooten yon virr
that gars ilka hope eidently stir.
This is oor eemage, this kilted cratur
(I'd thraw his thrapple but yon's no in my natur);
this is oor eemage and nocht as shairly
shaws oor division wi Scotland barely
dreein 'neath this new-farrant pack
o Tory jackals that claut its back. . . .
Ach, I cuid gae on, gae on, an' dae, I ken,
but I'll tell ye this, gin I hear that sang again
I'm as like tae forleet my naesay o violence
for a puckle meenits o guidly silence
whaurin the fowk micht meditate
on the truth o Scotland, its state—and lack o state,
and syne jalouse that whit we need
is nae bairnlie sangs but pooer insteid,
and the spreit that lowps whaun it meets
the swecht o oor true past, and greets
no oot o seep-sappin heedrum-hodrum
but oot o whit we were, and maist, whit we've become,
and kens, tho it micht gar muckle ruth,
that gin we sing it maun be in the key o truth.

NIRVANA

He'd read aloud from "Mind the Days."
Oh land of the lucky white heather
where the heedless child forever plays
or lies in golden fields in always-sunny weather,
land of the buttered scones
hot out of the oven, "land o' sowans"
(a Scotch touch), of the mantel where china fawns
sniff wide-eyed at china "gowans,"
land where the three plaster ducks climb,
land out of time, Nirvana, never in time. . . .

Saft-heid notions set aside the scrumpelt broo
and coorse hauns teuchened wi ruggin at the ploo.

And yet he trowed it, e'en or he deed,
tho his dochter gaed riven by consumption
and him an' his wife barely dreed
and wadna hae excep that byous gumption
somehoo drave him on thro the warst,
thro his bairn's daith, thro the First War
whaun a bullet i the heid gey near birst
his skull apairt. Knap-deep in trench-glaur
he thocht o Scotland, or at least o this;
it became, I jalouse, his keep-aff, yon fantise
that offert life far awa frae France
and ilka day's helldom—the sain o distance.

It bade distant for aye aifter, in despite
o Depression and ocht else that micht hae shook
belief in yon happy land. It bade the wee trite
country o Hielan Hames. Ye say he didna look,
but it's mair nor that—he didna, wadna, see;
wanted this, needed this, the truth let dwine.
Oh land o the warkless whaur fact'ries shuid be,
land o ile that's ithers walth syne,
land whaur gien choice the people turnt aboot,
wrung oot o spreit like onie saft cloot,
land o ice whaur wi sair hauch
the auld dee cauld, land o the drukken droch.

"Here's tae us, wha's like us?" Wha indeed?
Scale this leid and yon daftie's-gowd vision
and see whit ane has wecht. Ay, the stark need
is pooer, independence, else we thole the derision
o ithers wha see us, ken us, as we are,
a fushionless fowk clamersum for praise
as croodlin bairns. "Scotland the Brave," yon's the baur,
the grave mair near it. "Here's tae us," he brays,
wi reid-chouked blaw. "We're the boys!"
Ay, tuim kegs mak maist noise
richt eneuch, and whit's mair tuim
nor Scotland the day? But ye canna tell 'im.

Na, he'll blouster till he draps on the flair
or spews up his ring as he stotters hame,
syne faas intae bed and lies goggit there,
snortlin or the morn and the heidstound and the shame
and the voo: niver again, niver, or neist nicht
whaun aa owre again the whisky gaes doon
and the blumf lowps up. Airmed wi the micht
o a muckle sowp he'll tak the warl on soon
an' gie it laldie, you wait an' see.
But it's fou-blether. He canna win free
or wi sober een he glowres on the truth
o Scotland and slokens its grienin drouth.

An whit o mysel? Whit hae I wrocht
apairt frae yammerin hoo runted's aa this?
Ach, I'm mebbe owre taen up wi the thocht
I ken best and my fantoosh type o bliss
micht be as wrang-heidit as onie.
Wha kens Scotland? Tho I see a nation
scruntit I'm but ane amang the monie
and mebbe aa this is but exaggeration.
I'm no shair. Scotland can easy tirl
ocht sickart and set the wit in a whirl
that winna settle doon. Nocht's seen straucht,
aa's hotterin, senses rooked o maucht.

21

Still I say this: Scotland maun win free
and I'll chap on ilka door and sae threap
or ilka ane hauds alang wi me
that only pooer here can yark us frae the sleep
we've lang been in and busk as at laist
for the kyauve tae bring on tae rowstin birth
a country that winna hudder in the past
that niver wis. Howk intil teuch yirth,
lowse f'ae lowden seed the forcie shoot,
gust awa smochy doot
and wauken Scotland wi a Scottish voice;
it's that or deid silence—and yon's nae choice!

ON THE DOORSTEP

"Dinna ye talk tae me aboot that!
Independence?
I'm as guid a Scot as you, laddie,
ay, and mebbe a gey sicht mair—
I focht for the likes o you
and noo ye come rantin at my door
as gin I wis less a Scot acause
I see nae point in braakin the Union?
There's fowk in Ireland deein for it!
And if it wisna London it wad be Glesca,
wad it no, or Edinburgh? It's aa the same.
Politicians are aye politicians and the warkin man
is the warkin man. English, Scots,
that disna come intil it.
We're aa British, ay, and a sad day
it wis whaun the Empire gaed doon.
See whit a state the warl's in noo: it wisna sae
whaun I wis young. Dinna you blether o freedom,
ye dinna ken whit it means. I focht for it,
ay, and whit's mair, wrocht for it tae.
Ye want tae ken whit freedom is? I'll show ye.
Freedom is this hoose. Freedom is this gairden.
Freedom is me and the wife watchin the telly
in front o the fire, wi the dug on the rug.
Oh dinna smirk. It's as guid as you offer.
Whit wad you hae—Belfast here?
Petrol bombs i the street, fowk deein?
I ken aboot causes, I focht for ane.
And this is whit I focht for:
this hoose, this gairden. I'll no cowp owre that
for some daft notion o freedom that's juist
the freedom tae be warse aff. Ay, there's fowk
on the dole. Mebbe things are no as fine
as they shuid be. But they could be a gey sicht
waur, I'll tell ye that. It's duin me nae hairm,
the Union. Awa wi ye! G'wa!
Tae think that I focht for the likes o you."

He banged the door. I stood wi my leaflet
wilted i my haun. "I'm fechtin for the likes o you,"
I said, tho quietly, mindin he'd a dug.

AIFTER THE DOORSTEP

Whit gin he was richt? Whit gin aa my notions
are but some romantic blethers born oot o conceit
or some sic? It micht be.
I'm aiblins, wi language an' thocht,
years ahent, no aheid, aa this but a braiggle.
There's monie think like him
and wha's tae say he's wrang?
I can trot oot statistics,
I can tell hoo sair-duin-by Scotland is,
yet he's richt: he's got whit he needs
and it's a gey sicht mair nor monie anither.
Whaun bairns stairve whitna point in this?
And yet, yet, it's mair nor economics, it's—
whit? It's, weel, it's like
"poor relations in the Victorian novel"
(I quote frae an O.U. course I aince did)
wha're held back by their dependence
on the kindness o ithers, wha canna say ocht,
dae ocht, that wad smack o rockin the boat,
bitin the haun, aa that. We sit in oor hooses
and ken Auntie England will aye provide,
but at a price, and the price is the self
made haill, the comic Scot
wha canna speak richt, or speak ava.
Scot the miser, the drukken Scot . . .
That's the price for peace: the mockin-match,
the daled galoot wha ettles tae unscotch himsel
and maks a damned bad Englishman.
Freedom is freedom tae be oorsels,
as simple and haurd a thing as that,
like bairns that maun brak awa frae the hoose
or be smoort in the hame. Tae be oorsels,

24

and tae gie til the warl syne
that rissom o aefauld experience
nae ither hais, or can hae. And it's a sair fecht.
It needs truth. It needs truth tae the past,
no braggart havers o hoo braw we are
but lang thinkin on whit we were and micht be,
a constant hundin o vision, a fu-groun perception.
o fu-groun perception.
Scotland brocht intil the warl aince mair
an' wi the scouth tae dree its ain weird
white'er it micht be, or micht be made.
Oh it's haurd, haurd, yet we maun dae it
or bide for aye the puir relations,
puir relations wi a hoose and a gairden
and a telly. Comfy—ay—as Open Prison.

CUT O DOOT

My nieves are sair wi chappin
but nocht as sair as my dunched hairt;
I canna aye joke the dunts awa.
Laich the spreit, laich the fire,
as gin aa my hopes thrawed in a deid-spail
and foretelt the warst.
Hoo can I fend whaun sic ice caps
the flame I wad licht? Hoo gae on,
year aifter year, whaun sae little cheenges?
Yon driven starn has led me intil
a wilderness o streets and I'm sair
tempted whiles by the voices that cry
the kingdom o common-sense nigh
gin I but turnt awa. My passion's aiblins
camsheugh lust, some glaikit need
for martyr's thongs, the scourge o scorn.
Wha kens? The roots o my ain ettle
may gang mair deep nor I wad admit
or can e'en jalouse. Whit gars the act is aft
a Gordian knot that aince haggert
leaves but a taigle squirmin on the grund
like streekit worms that dee in cauld rain—
things we've aye had plenty o,
cauld, rain, and the cut o doot.

SNELL WUN

The langest day's been and the nichts come doon
mair quickly noo. Ay, the dairk's back,
there's foost on the blast. Soon
leaves will faa and yirth gie owre tae lack,
tae a yeld, disjaskit season. Aince mair
my thochts'll dwall on the trooshlach o Scotland
and hoo it maun bide sae forfochten an' bare.
I'll cry for smeddum tae snap the tether-band
that hauds us, mane the wyegaun o Scots words,
girn at oor want o pooer, upbraid the wersh spreit
that's brocht us tae this, but ach, e'en as the birds
flee the north in search o livin heat
sae my words'll gae, vainish i the cauld lift,
and gar nae better season's income.
Spring's no at a poem's crave, not will steekit doors shift,
and waur, I spae and fear, aifter this autumn,
sic a jeel as we've never kent. I micht be wrang
but heids are doon, the snell wun blaws fell strang.

AIR AT ZERO

Snaw on the lan',
cloods fu o't,
an' mair maun
faa, e'en yet,

aifter sic a muckle drap.
Nae road nor gait safe;
aa's claucht i the grupp,
thrawed by grief.

The grund alow
sleekit wi ice;
air at zero
freezin ilka voice.

And lookin up
there's nae remeid,
cloods smoorin hope.
This is the country o the deid.

SCOTLAND '79

This is the place o the deid,
tho resurrection promised
canna happen here;
sae lourd the stane o the past is,
e'en miracle cuidna shift it.

Gin aa the angels o Heiven
and God Himsel cam doon,
they wadna gar oor dry banes jink;
we're a tribe no juist lost
but abandoned, e'en by oorsels.

THE HORN, YIRDIT

Midnicht and the clock's knap
jows the slaw 'oor;
ilka note's a stane's drap
intil the smoor.
The toon's deid still, road and street
tuim. Wha listens on the bell,
wha cares? "A quiet retreat"
Montrose, as douce (bar the smell
o the Basin's glaur i the sun's glowre)
as *The Sunday Post* Granda nodded owre.

Whit kythins o life micht suddenly appear
whaur aa seems deid, the wecht o miscomfited past
lourd on ilka ane, and whit lichtnins micht skeer
this dairk that's thrawn eneuch tae last
and pitmirk us for aye? Och, I canna see,
winnocks greetin wi yoam, hear nae soond
but yon dowf bell. Nae wun shaks the tree
in the Auld Kirkyaird. We micht hae drooned
faddoms deep,
unkent, in ayebidan unresurrected sleep.

Haud on, tho, haud on—whit's that? Ootby sang
sooms in thro the void and a voice
breists the silence. I've aiblins been wrang.
Here's swecht, is't, this place no juist the choice
o the auld, the duin, arthritic wi sentiment?
It's closer noo, tho I canna yet
unfankle onie words. It's closer, presentiment,
dootless, o life's dumfoonerin routh that winna eithly let
daith aff lichtly. Listen—
ach, it's stopped, gien up shairly for pissin

'gainst the waa o some convenient close.
Yet micht it spunk up, tirlin frae the craig,
and I wad hear it, hae a muckle dose!
E'en tho it's oot o a draig
wha kens but it willna rooshel ae thrab o braw hope.

It's stairted—I hear it—I hear—och, it's f'ae the West
(o America, I mean), a seep o saft soap:
"Mary-Lou's my baby, the gal I love the best."
Ay weel, it bellwavers intil the nicht
an' awa, freith i the muinlicht.

I'll gang tae bed an' mebbe there I'll dream
mair crouse times. The dream could be aa.
Things are mebbe no as bad as they seem
but I doot it. The wag-at-the-waa
knocks it's lang past the 'oor whaun ilka ane
shuid be at rest. A new day the morn.
Things aye look better. Proverbs o pain.
I ken they'll no, nor will their be a horn
glorious wi hairt-heezin spatrils' upsteir
or e'en the deid wad pairt oceans tae hear.

Na, I'll wauken tae the teuch grund
o winter, here in Montrose, in Scotland.
The horn's been owre lang yirdit, the tune willna be fund
truly again. It's fu o saut sand,
e'en for us wha'd reclaim whit's tint
and blaw tae aa the airts ae caller sang,
ilka voice o oor country in greement,
a muckle blythe chorus heard sae joyfu amang
the music o the warl aince mair. Na,
the horn's roosted, stoury craik its puir caa.

The clock knaps the 'oor again, chaps ane.
Hoo lang's the nicht. Nocht happens here.
The waves o the sea maun search ilka grain
in time. In time Montrose micht disappear
aff the face o the map. Wha kens?
And be nae mair, gin that, nor the mindin
o runkelt ancients. Wha cares? Nocht biggit o men's
immortal. The tide's aye grindin
and the roots o the sea's ettle gang deep
and silence maun coor us, and we sleep.

Part Two

WASTE

See him stotter
whaur tenement stumps
chaw frae the middens
o city muck:
dragons' teeth in rotten gooms.

Nae smiles at windows
or skirlin bairns,
nae wash strung oot
like raws o bricht flags,
nae heroes welcome.

See him rax oot
frae tasht bleck sleeve
an airm for support;
it's a sair fecht
bidan upricht here.

Ae nicht he'll skite
on crackt bitter causey
and freeze in his bluid,
his body huddert
like fremmit land;

aroond it streetches
uncouthie waste
on whause boondless chairt
thin fingers wrote:
Here Be Monsters.

SOMETHING TAE THINK O . . .

The belt aye gaes roon' . . .
We pick oot the bad.
Peas the day, tatties the morn.
We hae luggies on. The noise
(the management aye concernt wi oor welfare).
Gin ye talk, ye shout. Sair on the throat.
Like a disco whaur the music's that loud
ye canna dae ocht but dance in silence.
Ae dame I had laist week up against the waa
o Toorie's Close I never kent her name
an' I'd been wi her aa nicht. Ach,
wha cares aboot names? Get in there an' oot.
Anither notch on the gun. Ken?
Weekend soon. Fitba. The bookies. Puckle nips.
Wha kens? The coupon micht come up.
Christ but the drink wad gae doon!
Fat chance. Still.
Something tae think o as the belt gaes roon'.

ON EMPTY STREET

Ae cry,
a human cry,
raxt on the very roots o the tongue.

Whit help? Nane,
nane, the signposts agley,
aa routes twisted.

The warl's nae wyce.
The boot's in on the harns
on Empty Street.

Abuin, the starns,
the bonnie, bonnie starns,
scaittered like teeth.

ON SWITCHBACK ROAD

On Switchback Road
the hooses decline.
The rot set in whaun they shut the mine—
micht as weel hae shut the toon.
The shock tirlt alang the line,
fowk moved awa, shops closed doon.
Only the auld left syne
on Switchback Road.

On Switchback Road
statistics of economy
commissioned by authority
told (a spokesman said)
"a grim, unfortunate story . . .
matters had come to a head. . . ."
Coffin-nails o cliche
on Switchback Road.

On Switchback Road
we're statistical shit,
that's aa, turds that sit
on cauld pavements, human pollution
easy covered owre in the latrine-pit
London maisters howked. But revolution,
we'll no hae it,
on Switchback Road.

On Switchback Road
we've gien up the ghaist.
Let ithers worry aboot the waste
we can dae nae mair.
We've supped sae lang the bitter taste
it's near sweet noo, the taste,
taks awa the need tae care amaist
on Switchback Road.

On Switchback Road,
gin ye come back again,
ye'll aiblins find only tuim hooses then.
Yet dinna fash,
we've duin the country a favour, ye ken,
we've saved it cash,
and that aye coonts mair than weemen or men
on Switchback Road.

FRICHT-THE-CRAW

Ye dinna see
in the fields noo
as monie fricht-the-craws
as aince, lang syne.

I mean the richt
dauntin tattie-bogle
wi the fairmer's filshens
flafft i the wun,

a neep for a heid,
an' deep howe een,
besom-shank airms
an' a kist o strae.

Na, it's guns
that fire on the 'oor
or bricht-coloured boords
that birl on the gust.

Ilka ane seemed
its nain sel, nap:
the humphy-backit,
yon wis MacDonal's

(he wis humphy-backit
himsel an' cuid fricht
the life f'ae onie bairn
whaun he shauchelt oot o the dairk)

and yon straucht-up
fricksome sodger-like ane
wis Greig's, wha'd focht
at Wipers, sae he said.

Ye dinna even here
thrawn fricht-the-craws-himsel Mackay
whause curse cairried miles:
"G'wa!" "G'wa!"

Fricht-the-craw
an' raucle-tongued Mackay
that soonded like
he'd swallied glaur

an' MacDonal
the humphy-backit,
an' the Wipers hero,
blaw-breisted Greig,

and aa I mind
frae then is gane;
but ach it's me I doot's
neep-heided noo, wi howe een.

AULD FAIRMER

The auld man looks owre the field
whaur the tractor shoogles an' yirth's broke
an' nods his bauld heid. He kens the darg,
kens the strussel for grouth, kens
the gows that herrie the dreels, kens
the hairst lowps gowd frae dreich reid grund.
But it's mair nor yirth's broke the day
as he goves wi een that dinna see weel
noo an' water wi the wun, nieves hauns
that winna haud ticht, the strength
crippelt oot o them and the straucht sheuch
nae langer in their pooer and girns:
"Ye canna speak til tractors, min,
but ye cuid aye speak til yer horses."

AULD WIFE KNITTIN

She lookit up, the auld wife,
an' gied a mudgeon,
wha in the weft o her days had seen
twa muckle wars,
had kent her man dee
slow an' her bairns gae quick
til airts she'd never dreamed o;
she lookit up an' syne
lookit doon wi puzzlement
at the knittin she ploitered wi:
"I canna haud the needles noo."

Years o maakin woo intae comforts,
years o threidin nichts thegither
intae some wear, something tae fend
the cauld aff; years o grief
meisured in raws, years o delight,
years o purpose, socks an' jumpers
clickit aff wi the clock's tick.
She lookit up, the auld wife,
an' gied a mudgeon,
as gin she suddenly foond
aa things unreddable.

DOD

"Ach, min, I'm yowden,"
he said, knappin his bauld heid.
"Ye wadna think I'd hair wis gowden
nor een (they were wattery an' reid)
that were bonnie, sae monie weemen telt me.
I wis strang, tae, an' och but I focht,
I wis a richt deil, I wadna let be
the least slicht, an' the wark, the wark wis nocht,
I'd dae echt, twal, 'oors an' yet be ready
for onie ploy—ye'd never haud me doon.
Huh, noo I'm that unsteady
I barelies get up the toon.
This is aa I hae (he uphint the dram)
an' weary thochts. Ach, I'm ready for yirdin.
I'm nae yis til onie an' nane gies a damn
gin I live or dee. I grien for yirth's girdin.
Can ye trow yon? Na, ye're owre young
(he gowped doon the nip), ay, but you wait,
ae day you'll be unstrung
an' faa in love wi yer past an' hate
whit ye've gotten. You wait an' see.
Syne up he sprauchles an' wauchles owre
tae the pub door an' sweys a moment
an' craiks: "Mind me noo," wi near a glowre
i the mochie een, "Mind me, tak tent."
I could only gie ane o my peelie-wersh smiles
an' nod the heid. Whit can ye say whiles?

PETER

The moment he's fou it's aye: "Whit's the meanin
o life, he, whit's it aa aboot?" Reid een gleanin
bushels o bumbazement frae his past, frae the mockrife faces
lauchin aroon him. Syne the bairnhood religious traces
ride him awa an' he's singin, a bit aff-key,
"The Lord's My Shepherd," "Abide With Me,"
or the barman cries: "Ach, min, shut yer mooth,
it's no Sunday!" But drink aye gies the Sabbath drouth
tae Peter, as gin the mair he drank the mair barmy guilt
freithed in's scaup an's hott'rin thochts maun be skailt.
Oh the pub's Gesthemane noo for him and he'll forget
aa, cry: Tak awa this cup, syne—wi a wink—but no juist yet.
Back wi the livin, seemin gash aince mair, yet ae thocht's in's heid:
mortal een sklent on the morn's silent deid.

AN ABACUS O DECAY

He's skailt on the bar's formica bleck
a puckle gowden draps o whisky.

Whaur's the strength that fund
gowden hairst in dreichest grund?

The men sat lauchin here
dealt cairds, scrabbelt banes,
cried oot for luck an' mair beer,
mairched tae war—an' oot o the ploo-chains. . . .

Horses claitter doon cobbelt streets.

Shops, wi ham-strung rafters,
smell o bacon, o new-cut cheese.

The lads f'ae the Mairt
wi sharn on their feet
birl aboot the howff sawins,
(Tam on the moothie
Peem on the spoons),
heechin, skirlin, lowpin, fleein,
faain doon,
                    stotterin hame. . . .

Whaur's the real warl gane?

On the bar's formica bleck
a puckle gowden draps o whisky
are coontin the time, coontin
the time: an abacus o decay.

The dreepin gless quavers
at thin cauld lips.

Furious music batters out
American dreams.

He hirples back tae his remote neuk.

The affable, shining, hawk-eyed young barman
darts over, swoops down, wipes clean.

THE DRAGONS O BAIRNHOOD

The dragons o bairnhood, hoo they'd hiss an' roar
like muckle snared beasts tormented wi pain
an' we'd gawp as they shuddered, wrenchin, heavin,
an' awa, wi a skirl an' a snork o disdain.

We bade ahent but oor thochts surged miles,
swept intil cities whaur millions wrocht;
amazements, miracles, braw destinations,
the track wad gae on for ever, sae we thocht.

Laist nicht I woke frae troubled sleep.
Ahent the waa I heard the auld man snore,
drilling my nerves. Faur oot in the dairk
a girnan train paused. Someone banged a door.

SCOTTISH MYTHOLOGY

Hades withoot an Elysium,
Blessed Isles runked o joy;
nae water o mercy washes oot memory.

We chose the wrang gods—
or the wrang gods chose us.
We maun caa doon sae muckle
but that I doot Prometheus only wad daur,
and suffer for't. See him,
chained til Schiehallion,
howked at by guid hame-bred Scottish carrion
skreichin: "Ye cuid fare waur!"

Part Three

MY CARRION WORDS

In deep
o dairk sleep
I dreamt my words
gaithert like stairvin birds
on a bare tree
and skreiched owre me
wi carrion hoast:
Lost! Lost!

And syne
I ran, wad tine
that greetin
o things forleeten
i the muckle dairk,
but aye the cark
souched ahent:
Tak tent! Tent!

Whaun I woke
the day spoke
wi anither voice
that croodled douce choice:
give up this nonsense,
this pretence;
what's gone is gone, here's
English for contemporary ears.

But ach, I doot
I'm no cut oot
for sic mense
(that's dowit leid for "common sense");
the auld coorse Scotland's in me,
an' the bare tree
an' the stairvin birds:
frae sic as them, frae yon, my carrion words.

47

A DERF MAN

A derf man he wis, my mither's faither,
thrawart as winter trees that bend
but winna brak. Oot in onie weather
and owre the fields whaur aince he wrocht
lang syne, a plooman nae gien til blether
nor clytach, dour as glaur, stiff as ice.

I see him yet, strampin oot o sicht
athort the fell acres. He's rackle-handed
and I feel still his brosie glasp hauddin ticht
my bairnlie fingers. He glowres, his broon een
drumlie, hachers, grumphs: "It's nae richt"
as the snortlin tractor stotters doon the dreels.

He cuidna say it, "love," an' winna noo,
yirdit fowre years back, but he bides wi me yet,
ayelestand as whunstane or wun reeshlin through
Scotland's sair dung yet undauntit trees.
A derf man, my mither's faither, wha'd grue
mair nor smile. His unspoken words I'd gie shape

or he spangs no in silence but wi a tongue
ripe for glee and the words he cuidna say
are heard abuin aa as gin a muckle bell rung
gaudy aumous! Joy o the warl 'yont rebut o time,
the needfu smeddum that's in endurance and the unsung
monie like him, wi tongue o stane, hairt o corn.

A WINDOW LIFE

My faither's wearied, a window life
scunners him wha cuid never thole
hauf-deid fowk wi kirkyaird sowls.
"We're men," he'd cry, "No stanes!"

He glowres oot, grumphy, crabbit wi age,
girns at life whaur aince he praised
and praises daith, speaks o't kindly.
'Tween him an' the warl's mair nor gless;
he's crippelt noo, will never rise.

Gin I cuid I wad gie my limbs,
I'd gie my hairt, my thrill o bluid.

Ae thing I swear: I'll dicht frae sicht
this crookit thrawn coorse auld man,
he's no my faither.
I'll hae yon man who strode the days
wi sic a virr and purpose it seemed
the very stour o his wake wad bleeze
like gunpooder fuse.

(Hae I no the richt? Whit's the truth,
as him o the weak an' reekin hauns
speirt or he turnt awa?)

I'll howk and I'll howk or I yark frae daith
an image o diamond tae cut on time
his green-sowled cry: "We're men, no stanes!"

Untether his life and let it blaw free
thro aa the twisted veins or it play
the bonniest tunes, nae winter's groans
but sangs o spring that move aa rocks!

AULD ROCK-BANES

Ay weel, auld rock-banes,
an' whit are ye aboot?
The sky's blue
an' the sun's oot
and ye gae dancin awa doon the street;
at your age, auld rock-banes,
ye shuidna be sae fleet.

Whit's that? Ye canna
winna, thole eild?
Na, na,
it's nae richt. Ye maun yield
an' shauchle wi hoast an' girn,
gie up tae winter; ye canna
yerk lowse, the auld maun yirn.

But he wadna listen.
Awa he lowpit wi a skellum yelp
and the laist I saw wis the bauld pow ootsheenin
the sun itsel. I doot yon's gien him a skelp,
whuppt harns wud or they're spinnin like a peerie.
He wadna listen,
and in the auld sic a tirrie-mirrie's unco eerie.

The laist I saw
wis the bauld pow sheen,
but he turnt at the corner
an' yellochs: I winna grien
or the kist lid's chappit doon an' the stane's
set at my heid. That's the laist I saw
o auld rock-banes.

But I think o him
noo whaun I see
young men auld,
wi early-dairk ee;
auld rock-banes fleerin
at eild an' daith: och, leeze me on him
and the smeddum aye steerin!

PEEM

As fou's a puggie maist o the week,
that snochert whiles he could barelies speak
but sat, heid doon an' haverin
aye tae himsel, mumpin, slaverin,
reid i the neb, cramasie i the cheek.

A fell waff, ye'd say, an' be richt;
yet whiles, whiles, as gin a skelp o licht
fleggit the dairk, he'd sing,
and his rauch voice somehoo seemed tae bring
auld sangs alive again, the dool an' plicht

o love's ploiter, the darg's trauchle—ilka note
seemed as muckle pairt o'm as gin he wrote
the things himsel and kent
the slee-est o tirls, and aa wad tent
this unco voice, as oorie an' remote

as the laverock's cry that seems tae come
frae ilka airt. His voice wis the sum
o unkennable scauds, o joukin lauchter,
o aa that ever took a flauchter
intil the clairt. Syne he'd stap, tuim 'is rum,

an' staigger intae the nicht,
dunt 'gainst waas, skite, a fearsome sicht
nae doot tae onie wha saw him
floonderin hame, boozit up tae the brim.
They'd gie him scouth, hairts duntin wi fricht

at the ill-gated skybe wi's stibble-bleck face
an' govin yella een. Oh he wis a sair disgrace
til the toon, an orra galoot,
a weed needin poud by the root,
nocht but a gaw on the place.

He deed nae lang syne, in a cauld bed,
in a cauld hoose, electric disconnected
for want o paid bills;
nae easement but in the gills.
No monie at the yirdin, he wis gey quick planted

an' gey soon near forgot. But no aathegither,
for whiles, i the reek o the howff, abuin blether,
I hear it, wi yon birr o surprise
it aye gied me, his rauch voice rise,
lowsed frae the aweband o glaiket flither,

ilka soothfast note speelin up an' awa intil
the dairk o Scotland, whaur fields lie still,
ayont, whaur the sea heaves,
it lauchs an' grieves,
singin the ae thing nocht can kill.

TIL DEID EEN

It's a winter's nicht
and the trees
in the muinlicht
are monie things:

cripple hauns gnawed
wi arthritis, gnarlt fingers
whause puir grupp's gawed
by grainin streetch;

taigle o veins
'neath sky's wan skin,
whause bluid is the dairk rains
o Scotland's winter;

lowpin flingers, dancin-mad
wi fearsome adoration
o a dour god
whause send's thunner-stound.

The trees this nicht
are monie things
and ilka ane richt,
ilka ane wice.

Wha routhilly sees sees
warls ayont this present
whaur ponds only freeze
til deid een never alunt.

THE FIELDS O ANGUS

Thro nicht oor machinery roared,
spun, beat, powped and chilled
the plump rasps juiced for jam.
We wrocht or denner broke oor shift
syne gaed oot, claes fyled wi cramasie,
and intil the yaird whaur the bothy stood.
Whiles we'd stop on the wye owre
and look up at the acres o starns
in the bricht silent alaneness o that 'oor
and say nocht, each o's side by side,
brithert by labour, the benediction o peace
won oot o wark, as gin a sain warmed us
and mebbe did in a moment whaun
oor naethingness and joy were ane
alow the vast turn o constellations.
Syne back til it a while or the pale early blue
lichtened the muckle winnocks abuin
and we kent the daw wis near and us
near duin. The fairmhoose sat on a hill
and we saw, at straikin o day,
acres o Angus streetched oot and we kent
that the fields wad aye gie up their grouthe
tho we, blythesome-weary, prepared for sleep.

SHADDAS

C'wa intil the shaddas
o Scotland this nicht;
see hoo, 'mang the dairk,
the confidence o sicht
gies owre tae the unshair.
Whit's that? In the shaddas?
Oh it micht be mair
nor ye bargaint for. Yase
ither senses, touch, smell,
listen til yer hairt-stound.
Whit's whit ye canna tell
and whit ye thocht ye kent
is but the cast o seein;
nocht's aiblins whit ye thocht.
Sic a cheenge is warth the dreein
for ilka man maun shak whiles
the truths held dear
and set in thir places ither styles;
nocht's warth haen that isna tested
time and again; this nicht
we'll try the truth o Scotland,
ill-faured in daylicht,
oorie i the dairk,
an' gin it isna whit ye've seen
afore, it micht be mair.
See, it kythes tae peerin een
in shapes ye mebbe hadna
descryed an' syne shows
hoo muckle Scotland is in despite
o "common-sense that knows
Scotland's small and, predictably, dour."
C'wa intil the shaddas, we'll aiblins prove
the infinite's but ae remove.

HOO FAUR?

Look at it on the map:
Gin meisurement by acres
were aa, it wadna be
warth a thocht (an's haurdly,
I ken, gien a thocht
by monie). Yet we ken,
tho tempted whiles tae see
the muckle and the guid
as ane, that sic meisurement
dis nae justice,
as gif ane wad dismiss
the seed o the tree
for no bein a tree.
Look at it and see,
no wi compass and rule
but wi the haill mind
or it gaithers a shape
that's aye-cheengin.
Wha kens whitna grouthe
bides here yet,
in whit tenement o Dundee,
whit scheme in Glesca,
ay, whit hoose in Montrose?
Whit seed, whit tree,
ootspreidin tae aa the airts?
Nocht's smaa but us gin we cry
whaun confronted wi the smaa:
"It's no very big,"
gin we speir,
confronted wi the infinite:
"Hoo faur's that?"

WILLIE'S DREAM

Nae mirligoes stacher the dancer birlin
joy-glaid aneath the licht o the moon;
he's daft, I doot, but he's set my harns dirlin
or I'm oot wi a lowp an' lauchin til a tune
I canna hear but sense, a michty swirlin,
ilka rissom gien a shog—the warl gaes roon,
I'm gleg as a flech, spinnin like a peerie,
singin like a lintie an' oh, I canna weary.

I wauken tae a room wi fowre stane waas
and only the mindin o a dream i the nicht—
but sic a dream! Noo, as dreich morn daws,
I think on't, ligg wi a smile. Och I'm nae richt
i the heid mebbe but whiles an oorie joy caas
thro the stife aboot this place an' wi mairvellin sicht
I see yon dancer sae blythesome an' vieve
an' tho I'm hippit I dance and in a dream I live.

THE VIEVE CRY

Dour-hunched in a drizzle
o dreich November
or smoort in haar
frae bitter North Sea
this toon's forlane.

Yet I've seen
yon steeple-vane
skyre abuin
as gin unfleggit o ocht it wad craw
braisant on aa!

In dourest season
o near-tint sun
that crouseness vaunts
oot o shaddas,
oot o snell-wun narra wynds,

an' ayont, intil nicht,
whaur hirsty fields
streetch cauld
yet hause in dairk
the starry maucht o seed.

In dowf season,
dowie, deid still,
abuin frozen braith,
I hear it:
the vieve cry nae daith-grupp thraws.

CRYSTAL DANCER

At Hogmanay the steeple clap
dunts oot as tho wi God's muckle nieve
time gane, and wi that dowie chap
lauchin fowk gaithert i the Auld Kirk Square
faa still and micht yet soberly grieve
this ae laist gowp o the deein year,
nane kennin this 'oor whit skelp bides at han'
but thinkin on't, whiles, or aiblins coorsely drinkin
so's no til speir ava, fearin there's nocht owre the lan'
save winter cloods an' coontless wanless voices
deavin nae repone as dancer truth gaes glegly jinkin
up an' clean awa intil fremmit places.

Oot there, easterly, the sea heaves waves
and the rocks dissolve slowly, unseen, intil faem.
Fishes nudge aboot the ribs and graves
o monie foondered vessels whause fu-blawn grace
skited them leagues tae bring gowd hame:
Baltic linen, Spanish cork, bonnie Flanders lace.

Ayont the toon, in the bare cauld field,
a ribbit birrs up its lugs.
The moose scutters reechlin frae leafy bield.
Rattons sleenge alang icy ditches.
The reivin tod jouks the fairmyaird dugs.
Owre aa the houlet, wi muin-een, watches.

The knoll dwinnils intil undeemis nicht
whaur the tint yet aye-seen starn
ferlies the een wi a ghaist o licht.
We'll hae ferlies eneuch or lang!
Guid luck an' joy tae aa o wimmen born!
May the auld year gang doon wi a sang
and abuin us aa may a constant starn's truth
sheen bricht for the airtless wha canna bide content,
wha maun thole dool and suffer daith, the lang drouth,
wi nae remeid, faith but a rabble i the gloamin,
a roofless hoose. O sheen abuin aa for this ae moment.
Sae we sing, wiceless yet human.

The tod rives the hen, the houlet tears the moose,
but the ribbit this nicht survives the road.
We stacher on frae hoose tae hoose
or the bottle's duin
and the sun glowres achingly reid
on anither horizon.
Ilk sang's noo but splutter.
The warl begins again wi bleary ee,
claitter o cans i the gutter,
glints o shaittered gless at the roadside,
skriechin gulls abuin the dairksome North Sea
whaur ships rest, bidan on the tide.

Whit we hae seen, been thro, we canna say;
the mindin o't's tapselteerie.
We stotter hame in the cauld licht o Ne'er Day
haen boozed owre deep
and syne tae bed or we wauken yet weary
f'ae a lang drukken sleep
that's no sleep ava but a tyauve wi rest
for sic as us wha speir aye o creation
yet lo'e life wi sic michty zest
and canna settle atween hichts o passion
and howes o despair, kennin nae station,
lookin whiles wi envy on beasts ayont oor confusion.

but kennin tae we canna be as them,
as the tod or the houlet, the ratton or the moose,
steekit i their nicht, wha neither love nor condemn
but simply live, and dee withoot thocht
o resurrection or failure. We canna bide sae crouse
but aye maun pursue whit we aye hae socht,
that vision o perfection, yon crystal dancer
birlin i the sunlicht, brilliantly complete,
ayont time an' duress, needin nae answer
sin answer an' question here are as ane
and aa life's gaithert aneath the whirl o his feet
til a diamond-point daith maun shadda in vain!

Part Four

JOY-SPREIT

Nae en' til it noo!
Delight in words, cowp
wi this new-fun' ploo
dour yirth or gowd lowp.

Nae en' til it! See
whaur aince I never daured
miles streetch afore me;
I staun unscaured.

The words gaither like maws
aboot an opened dreel—
flocks o life, nae stairvin craws;
haill, I think, I feel,

an' ken sic ardour
it whiles near caas me owre—
the smeddum o't—haurder, haurder!
Drive me, joy-spreit, wi rivin pooer!

THE AIRT YOU GIE ME

The airt you gie me's aye the north.
Heid tae the wun or dowp tae yirth,
nae maitter, the harns pirl roon
an' wi a shoogle an' a trummle syne settle doon
and point me whaur I'd be. Cauld
or dreich, icy, thrawn, dwinnilt, yald,
och it's the airt I want and need
an' my joy in't sings oot in a leid
nae aye unnerstood, but time eneuch yet.
I'm weel-hairtit maistly an' winna let
ocht scunner me owre lang. Ae day I
trow ilka Scot 'ill traivel this wye
an' fin' syne i the words whit I've foond:
mysel alive an' oot o shaddas, the soond
o Scots tirlin thro me, the words wrocht
oot o monie voices wha livin here socht
the truth o Scotland, a muckle chorus
that cries yet—we hae aa-time afore us,
we arena deid, juist sleepin, but wi a heeze
we'll lowp an' birl tho dour bluid freeze
an' kittle heat back in yer rock-banes,
auld mither; the bairns that gied ye sic pains
werena born tae dee sae eithly. C'wa
an' dance wi us or nicht's hyne-awa!

SCOTTISH NAMES

I love the names o Scotland:
Ecclefechan, Auchenblae,
Fordoun, Gourdon, Forfar, Kirkcudbright,
Dunnichen, Echt, Panadram, Drumtochty,
and wha could ignore Auchtermuchty?

I love the names o Scotland:
hoo they dirl thro me, the stounds
o consonants, nieves o soonds
that dunt on the map; ilka ane redoonds
wi stickit pride: these are my boonds!

I love the names o Scotland:
Friockheim, Fettes, Pittenweem, Pitcaithly,
Dunnottar, Dunfermline, Aberdower, Invertay,
Catterline, Corstorphine, Craigmillar, Cruden Bay,
and wha could ignore Clachnaharry?

I love the names o Scotland:
hoo e'en the prosaic is owreset
intil a ferlie ye canna forget,
tho it's aiblins but a place whaur burns aince met
or a wee wuid fort wis, and is yet,

but only in the name. Oor past's
chairted for us, oor history's here,
in Balmaha, Birnam, Dunblane, Ardersier;
the names clash oot, tirl on the ear,
and wha could ignore braw Durisdeer?

I love the names o Scotland,
the names that are oors, and tho Wounded Knee
is fine and fair and sad, it's no Fyvie,
and gin Montrose, whaun I dee, winna hae me:
bury my hairt in the cricket-pitch o Freuchie!

A FERLIE BUSKIN

The shochles wad likely tingle on the rone
but no a tift blaws, sae caller, sae lown,
the warl's noo, wi ice alunt
alow unclooded sun—sae fremd I'd want
nae ither season but this ane whaur e'en
the dour causey skinkles an' ilka winnock's gien
a ferlie buskin. Lauchin bairns skite hame
and there's rowtin, there's skellochs, at the roarin-game!

ACROSS THE ESK

The lichts o the oil base are bonnie—
there's orange and yella and neon-white
skimmrin on the sleekit bleck o the Esk,
and the soonds are the soonds o machines in labour,
the creaks o cranes, the shouts o directions
clear thro the nicht tho a river's atween
my hoose and yon. Nae sicht mair keen
til my een than the lichts o labour,
nor soonds mair fu o excitement.
This is the warl noo, this is Montrose,
biggit oot o trade, lost, and foond again.
Sae it maun be, sae it wis and is—
there's cash in the toon again, and wark,
and hoors and fechts and drunks,
but maist, the thrum o darg—
whit is it but the claitter o life,
whitever its warth, in the act o livin?

WEEDS

Yon white starns wi gowden core,
the gowans, are on the gress aince mair,
an' pee-the-beds, puir craturs, the true suns;
dutch-admirals an' daffens an' monie as bricht.
Some ye'd cry weeds, alang wi dockens, nettles,
but I let them grou and only whiles,
whaun they bode haud-doon, pu them up.
And there's birds: the mavis, the spug, the corbie,
the stuckie, the greenlintie, the bullie, e'en a gow,
and there's a hornygoloch and there's a slater,
sae muckle life in sic a smaa place
gin ye look! A metaphor o Scotland this,
tho we've let the weeds root owre lang, mebbe?

GERMINAL

Aneath the grund the seed's grouin—
nocht can stop it, nocht can stop it;
as shairly as the sun's ilka day lowin
(tho whiles rarely seen!) the seed's grouin,
maun brak intae licht. Wow for the sicht
o the green oot o bleck, life oot o seemin
daith in Scotland, and nae green-dreamin!

THE MUCKLE TREE

There's a muckle tree at the auld kirkyaird.

In the springtime comely
wi chrysalis buds;
in summer triumphant wi green blawn plumes;
in autumn noble
wi bronzed medallions o leaves.

Wha listens noo
micht rax to hear
whit hope is crooned
whaun cauld wuns souch
this gnarlt skeleton
o Scotland's winter.

Yet dis it no survive
in depite o puirtith
and want o licht?
Thro Scotland's lang nicht
drive deep
the roots o endurance.

Wha howks teuch yirth maun ken
fire o frost i the bane, ay,
and frost o fire,
clench o cauld gruppin
thocht, hairt, ach, heid doon
an' dig, thrawn wi't.

There's a muckle tree at the auld kirkyaird.

'Neath rooted feet
eident roots thrust
for life yet,
e'en f'ae the deid,
their hallowed ice.

WORDS

The auld men I speak til
tell me o a life
lang gane, wi horse an' bothy;
nor wad I hae it back,
for weel I ken there's nocht romantic in't.

My ae regret is words,
words rarely heard
on the tongues o newer generations.
But me, I hoard thae words like gowd,
vein them thro verses—
yet no withoot doot,
no withooten the thocht
I'm back in yon times,
wi horse an' bothy,
in a warl best left ahent.

Words arena horses, nor auld men
hirplin, hoastin, tuim o virr.
Gin I caa, see them rin!
Lowp frae the shroud no deid ava
but bairns, bricht-faced, immortal,
wi aa the secrets o life in their hauns!

REPRISE

Tak up the words, the hameart tools,
and wi 'em we'll howk f'ae deepest mools
the body yet an' find the hairt
no wizzent, juist needin a stairt,
and the bluid'll gae dirlin
and een open and the mooth's skirlin:
"Wha yirdit me here? Whitna evil's this?
Wha gied tae me the Judas kiss?
Set up fause gods? Ay weel, I'm back,
an' nae afore time. Gin it's truth ye lack
I'm stappit-fu, it's been haudden doon
lang eneuch; here's the wice tune
aince mair awa an' dinnillin lugs
wi a wow! that disna lippen on drugs
but's a ferlie gien a dicht tae the glum,
tae ilka thowless squeef, tae aa we've become.
Coor nae mair, here's generations o soond
that'll roose ye or Scots—and Scotland's unboond;
raxin consonants sinnened for battle,
the richt noise tae hurl at the storm's rattle!"

TAK POOER!

The lang notes dwinnil or naething's heard
but peeriest soond an' syne nocht ava,
but here's nae silence left, for deep intil thocht
the sang's urged its swaw or the harns
soom on the string, the barelies kent, only whiles,
whaun govin at the warl, suddenly a rhythm
shudders intae being an' the warl gaes wi it;
the trees soople like seaweed til the motion,
the gress tremmles as gin blawn by the wun,
chitterin flooers slowly boo doon and the birds, aff-key,
coonterpoint wi a lowsed chirm. Aa's become music
or's played upon: the clarsach o branches,
cat-gut o telephone wires, timpani o the sea,
the snare-drum o waves' rush, the bass-fiddle
o the fact'ry's dirdum. Ilka thing its ain leid
and pairt o the haill. Ilka thing greement til
anither, coonterpoint til anither, dissonance til
anither, and at the hairt the ears that hear,
the mind that organises, plucks oot o seemin
chaos the leal fixed note that wins thro ocht,
e'en the yowl o despair and easy threne. Dool
in Scotland, in a snell season whaun saft lips crack
and the lugs are snittered reid, is aye the near mane.
Dool in a wizzent country wi nae ripeness o pooer
nor even a scent o spring tae buoy the body thro
the lang dairk or dwinnlin 'oors o day. Dool
at the prospect o ayebidan imposition f'ae an airt
that's fremmit. Dool at the divided voice,
the split tongue that winna be haill or heal.
Dool at the divided sel raxed 'twixt coorseness and sentiment:
the drukken grien, maudlin yorple o heather and mountains
'mang clairted ashtrays cairned wi fag-dowps,
bombast o Scottish regiments hauf-seas-owre,
pride in skelt bluid, Empire boasts, wog lauchin,
wop jibe, ach, dool at the bleared een that gowk
on shaittered gless an' see nae flinders,
fause values, fause sicht, fause land.

But Scotland bides yet ayont dwam,
bides on the een that maun see it rise
in its real sel, shruggin aff puirtith, the rags
o tasht industries, the skartin fingers o the warkless,
the wanless dorts o couthie rhymes, imported sangs,
relished dool or paradise in a glen.
See it as it is and as it micht be.
Tak pooer
an' tak intae lungs the sang o sangs,
the gaithert voices o generations.
As the sun speels up frae cauld horizon
let this rise, tested on the quick
o deepest vein, the strangest pulse,
the rhythm o the warl ilka thing moves wi,
the seasonal cheenge frae winter tae spring.
Set ear til the wame or it hear Scotland move
aince mair, the byspale o history, the bairn again—
miraculous birth e'en alow bitter starn.
Celebrate the dancer, brilliantly complete, whause feet
turn on a focus, whause body gaithers licht
as it birls, swirls roon' sae fast it near stauns still
on a diamond-point at the centre o gowden time!

EPILOGUE

I hae risen up alive again oot o the nicht.
The fire's gane oot yet nae cauld stiffens banes.
I hae for heat my livin words, I hae for licht
the morn's daw i my heid. I ken it will come
tho it's faur aff mebbe an' there's monie muckle stanes
yet need rowed awa, but I foresee it, foresee
the lowsin o Scotland f'ae its present dool, the numb
rootin grief that jeels aa thochts. We'll yet howk free,
o that I'm shair, tho I ken hoo words mislead—
and poets—ghaistin a life oot o the deid.

Yet I'm shair, and whit I've written's a sign
that Scots isna gane. Noo there's guid conceit,
as braisant as onie ye'll hear, yet ilka line
is oot o the hairt o the auld tongue an' stoundin still,
else I've misfared and micht as weel forleet
aa my obsessions, for gin I canna gie the heeze
til Scots then I'm a howe voice, an' dwinnil,
wi nae pooer, for English gars my tongue freeze.
But it's no for me tae rede,
I maun gie this tae ithers: is't aise or glede?

Gin aise then set this on the midden; there's nae
spunk in't an' it canna faa mair nor that;
gin it's gloze then in it ye'll aiblins spae,
as my granmither aye did i the flames, the morn
I wat is closer nor ye think. I say yon flat,
hing my hause oot—whit Scot plays safe lang?
I say the day's no faur aff whaun we hear the horn
no yirdit, nor stappit wi stour, but wi eident stang
its notes 'll annunce tae brichtness o air
Scots and Scotland unboond aince mair.

On this I stake white'er I hae o warth
(tho weel I ken tae monie this seems a fremmit airt).
Think on't: tae be in on the rebirth,
tae hear the byspale skirl again, its lungs
big wi the richt noise, and the dunt o its hairt

beatin alow ilka step ye tak as gin the land
itsel took on the rhythm! The trees hae tongues,
birds gree, e'en the spuggies harmonise. We stand
dumfoonert afore oor ain unco creation,
the new onset o the Scottish nation.

Sturken harns! Gie aa maucht tae this!
Gin the ae answer tae dool is wark then here's
as muckle ontak as onie could want, fendfu bliss,
kyauve warthy o the laist drap o strength.
Gie owre the waement, gie owre thrawin fears
that hae chokit Scotland sae lang, kept us doon
or we let winter bide, serpent ice creep its length
thro ilka acre or aa wis frost, wun's croon
i the naukit branches. We mak oor ain spring,
oor ain winter. Chuck the deil an' up an' sing!

I gie this til ye, reader, gie thir words o mine,
wi a blessin. This is my strussel, my ain
inpit tae the risin, that we dinna tine
the words that spoke for us and wad speak yet.
I gie this til ye an' gin ye think me vain
for draain sic vaunty conclusions, sae be it;
but I hae tried, ettlin that ye winna forget
that aince ye read poems in Scots and some hit
straucht tae a hairt ye mebbe didna ken ye'd got.
Gif sae then here's nae blaflum, nor grouth yet shot.

II

MAIR LICHT!

NEIL ARMSTRONG'S STEP

All voyages to the moon . . . represent a yearning
to return to the mother—MARIE BONAPARTE

It wad gey near need tae be ane o Scottish descent,
ane that's suffert that loss sae deeply it has aye kent
the shudder and cry for the abandoned mither, the female
    balance o pooer,
that will gie his lop-sided hirplin life, sae jungle-bearded
    an' stoury-dour,
a new exultant lowp o being, or an auld yet caller wye brocht back.
It wad need tae be a Scot, for wha else has tholed the lack
for sae lang o sic an embrace tae saffen the shocks
o brutal regimentin noises, the phallic trumpet o hirsute Knox?

A PAN DROP MAN

My granfaither wad hae deed for a pan drop.
He'd sook them day an' nicht
wi toothless tortoise gooms leathert
aifter monie years withooten dentures
(fickle things no warth fashin wi).
He smelt aye o peppermint, my granfaither,
in a suit o midnicht-blue (dooble-breisted),
wi a temper as het as cayenne
or guid spicy haggis, wi a bulge in's
chouks like a haimster's baggit wi seed
but fu in his case o yon sweets,
twa or three at a time, clickin like
boolies in a pooch as they joogelt.
Whaun he deed we fund a hauf
feenisht paiket on the bedside table.
That wad hae scunnert him, nae doot;
that, for him, wad be deein afore his time.
We shuid hae cuist a poke o them, no yirth,
intil the grave. God wad hae smiled, shairly,
e'en gif yon white-faced meenister
(a pan drop face, whit a synchronistic metaphor!)
wad hae grued like ane that's juist sookit
straucht aff a pund o soor plooms—things
my granfaither wadna be seen deid wi,
a pan drop man aa the days o his life.

DOMESTIC SCENE

He slabbert his broth, the auld man,
an' sookit on a bane wi toothless gooms,
syne dichted his moo wi's cuff,
syne boaks an' pechs: "braw bittie soup."

My mither wis near black-affronted,
gey near had a fit. "Father," says she,
"mind your menners." "Whit?" bawls he,
convenient deif whiles, "Whit?"

"Oh never mind." Syne she turnt on me
whaun I wis juist at the stairt o shuvellin
a forkload o peas doon ma thrapple. "That,"
she pointed oot, "is not a gerden implement."

An' swith as cat's-paw taks the spug
administered tae me whit has lately become known
as the short, sharp shock.
Whit a clout on the lug I got!

The auld man sookit anither bane
an' wi a dour shak o's bauld heid
rummles, "Och, laddie, mind yer manners,"
an' wi a snirk the deil boakit like a bull wi hairt-scud.

PHOTOGRAPH

Nae muckle love in that dour look:
a braw face for cauld weather,
a thraw-gabbit winter-tholin face
wi nae time for lauchin or blether.

And yet I mind whaun his wife deed
hoo he grat and I, wha shuid hae seen
this rauch auld man in a new licht,
turnt awa, as gawkit as he'd 'ae been.

UNJUDGING LOVE

1

Mither at the sink
wreathed in scented steam
and her white airms turn reid
as they plunk the soapy wash
in an' oot, in an' oot,
an' suddenly, in a high
clear voice, she's singin.

2

Mither on the green
hingin sarks on the line
an' suddenly in a gowst
as the bricht dreeps faa
twa thin airms o claith
wrap her in a weet embrace
and she's lauchin.

3

Mither in the kitchen,
shortie fingers stufft i the oven,
a waarm sweet smell.
She opens the door syne
brings oot the tray an'
keekin aroon, thinkin nane
sees, gowps ane near haill.

4

Mither on the sofa
knittin me a jumper
that's never feenisht.
There's sleeves an' ither
orra pieces in ilka
drawer. Ae day I micht get
a cardigan o monie colours.

5

Mither at the yirdin
o her faither. She's
white-faced yet winna
greet. No in public.

6

Mither wi a kitten
playin like a bairn
wi a baa o woo
that wis til 'ae been
pairt o my jumper.
Ae day I'll mebbe get
a cardigan starred wi holes.

7

Mither wi the ice-cream
aifter the polio jags,
the richt cure for a sair
airm, a poultice o Cura's
best hame-made. I micht,
wi that temptation,
hae ended up
wi an airm like a sieve.

8

Mither at my waddin
smilin aa the time,
dancin wi my faither,
refusin onie drink. She
aince got fou on sherry.
Inbuilt temperance her son,
mair's the pity,
                    didna
                          quite
                             inherit.

9

Mither wi her granson
dannelt on her knee,
her voice, yet high an' clear,
singin, aye singin.

10

Mither on my birthday
gien til me at laist
wi a muckle flourish
THE JUMPER.
Nae holes in't,
aa the same colour.
I'm glaid, tho, I'd the sense
no tae try it on
in front o her
but then I ken (amaist)
my mither.
It didna fit.

11

A high clear singin voice,
the voice o my mither;
my haill life sin I've tried, I suppose,
tae catch yon,
the high clear voice that rises,
despite aa, intil forever
nearly.

DEID SEAS

Oot for aa the English sun
on the Sussex Downs
in search o the laverock's nest,
that high bird's low place.
We never did find ane.
Or at nicht, in the copse,
whaur yon rickle o wuid, the auld shed,
wis, ye swore, a bield for bats;
we micht, gif we kept quiet and the muin shone,
see them flisk. We didna.
I did find, tho, in a lump o chalk,
a sea-urchin's fossil. I've it yet,
hauf-roonded as a pipper-wecht,
star-gnarlt wi stane plooks
like a hedgehog wi a haircut.
A muckle thing yon seemed til me then;
it seems noo as tiny as a bairn's nieve,
clenched mindin o deid seas,
tides that aince wad surge wi strange life.

GAMES

Carties oot o orange-boxes
an' pram wheels. Auld bed-springs,
booncers, tethert til the feet.
Boolies knockit wi a skirl frae chalkit rings
an' beezer conkers crackt owre soon,
flin'ert on tirlin strings.

THE PERFECT SHAPE

We played aa day
in plots gien owre
tae the wildness o things,
a wilderness o life
fu o ferlies, moths an' golochs,
and neuks that micht dern
the moose, the hedgehog,
—acres o secrets
kent only til us
wha bade at the roots.
Hoo it comes back:
the smell o the mint we chawed,
the tiny rasps, the clocks
we'd blaw, the butteries
that telt oor likin,
the nettles that stang,
the dockens that healed,
yon auld tyre frae
God kens whaur,
on whause rim we sat—
auld men smokin blades o gress,
puffin air an' wi runkelt broos
an' serious nods sortin oot
the rules o resurrection:
should it be at a touch
or by special word?
The touch won. I see us yet,
streekit 'mang flooers,
lowpin up wi a skirl
the moment onie finger—
like God's tae Adam—
pricked fause daith,
and the sun's mandala glistened,
roond, the perfect shape
for the gowden circle we lived in
then

THE KAILYARD SCHOOL

The fields look bare yet monie birds
howk 'mang deid yirth. Deid?
No tae them, only me.
Gin I got close eneuch wha kens whit I'd find?
A lesson here mebbe:
sae muckle o my Scotland's hained
in hanty allotments o poetic dool;
I spae dourly yet aiblins dinna see,
owre blinkert by the words I mak verses frae.
Wha'd scance this country maun see it truly,
warsle wi assumption, Pavlovian dool,
else there's as muckle fause in me, as muckle hairm,
as in onie parritch-hairt frae the Kailyard School.

LET 'EM SKART

The hoose is quiet. The haill toon, I think,
maun be at rest. It's midnicht, aifter aa,
whaun douce fowk, tired fowk, fowk wi mense,
are waarm in bed an' hauf-wye tae the morn.
I sit and write, or try. The only soond
is frae the clock (and it's got the time wrang)
and the scrape o my nib on white pipper:
words, whause very shapes I love, keep me up
whaun douce fowk, tired fowk, fowk wi mense,
and you, indeed, are waarm in bed. Daft, is't?
Mebbe. But the morn I ken I'll look here
wi sair een and see thro the blear the words
assembled in raws, the sodgers o vision
troopin their colours owre whit aince wis waste,
the Arctic o the page, plantin the flag
on the tapmaist hicht they cuid find laist nicht.
Syne I'll gowk, see the clock tell me I'm late,
syne mind wi relief it's aye wrang,
and aye will be, I doot, tho I scutter
wi the hauns, tho carefully I wind it.
There's something 'boot yon clock winna agree
wi the warl that says this is proper time—
that's hoo I keep it, an ally o sorts,
yon clock an' me baith oot o time and baith
woond up and yet, juist no quite in order.
It's the auld joke's speirin: wha's oot o step?
In this warl, it seems, we're baith guisers;
it pretends tae keep time and I pretend
I care for mair than words. Oor shared deceit:
we're baith camsteery and, for me, I'm prood,
an' that clock's tick, gin it were a hairt-beat,
wad dootless hae doctors skartin their pows.
Ay weel, let 'em skart: oor rhythm's oor ain.

MONIE VOICES

Oot there silence,
in here the scrieve
o nib on pipper.
Whit gars me grieve
my nichts sae
or I seem lipper
til the ocht-day?
Whitna sense?
Mebbe nane. I only ken
I maun deave
the muckle silence
that lea'es nocht
but tuim spaces
whaur life wis aince.
My poems are wrocht
in the silence o nicht
oot o monie voices
singin aifter licht.

SIR, THE TREES

The trees hae uprooted themsels an' gae dancin
awa doon the street, lowpin
like auld men lowsed o eild an' suddenly
daft wi virr. Whitna vision's this?
A ludicrous sicht! Strathspeys o sycamore,
reels o elm, the ash jinkin an' linkin
wi skinny willa! Whitna dwam's this? It maun be
dwam, shairly, for oor Scottish trees
(as oniebodie that kens Scotland kens)
are owre kirkyairdie-like for sic harum-scarum
joukerie-pawkerie. Mind you, I suppose they micht be
fremmit, nae oors ava but owreset
frae Sweden an' sicna queer coorse places.
I maun dite a letter til *The Scotsman*.
I blame aa this on the Forestry Commission.

THE HILLS AN' THE HEATHER

"Nostalgia." Noo there's a word.
Gin it's no Scots it shuid be.
Why juist the ither nicht I heard
a haill barfu bawlin aboot
Granny's Hielan' Hame. Richt bonnie,
unison singin at its best. Meantime
anither three hunner gaed on the dole.
But that's the braw thing wi nostalgia,
for gin the couthie stoopit white-haired cratur's
aye at her gate an' smilin, whit maitter?
The peat's on the fire, the pot's on the hob,
and aa's hunky-dory wi the hills an' the heather.
Och asides, the wye things are noo
it'll no be lang or fowk greet in their beer
owre the days o—whit wis it cried again?—
employment—whaun you and I were young,
Maggie. "Nostalgia." There's a word!
It maun be Scots, shairly? Is it no?
Guid God. Whit aboot "glaiket?"

DUES

It's 3 a.m. an' gey near licht:
in Scotland's simmer's nae muckle nicht
sae mebbe the dairk, in want o compensation,
gied us insteid this lang-benighted nation?

BRAW MUSE

I'd wear the carpet bare
for want o you
in a similar condition.
Christ, hoo lang or this be worn through

and nocht's left
but the haurd sheen
o mind ayont flesh,
the body stript clean?

Oh then I wad aiblins be
perfected, chitterin need
nae mair fashin. Ay,
perfected, and also deid.

For whit's this save life
tirlin thro me, the muckle stounds,
the want and weariness,
that yet caa me owre ticht boonds

and gie me whiles a glisk
o things I wadna itherwise see?
In the moment o love I think I'm haill,
and sae my previous precious plea

is but convention.
Oh I ken fine I'm an unco liar
for the sake o verse;
God haud back the dwine o desire!

No that whit I've scrabbit here
shows mair nor sel-pleisure,
yet love, gin you'd hae me,
ye'd soon, I dootna, tak my meisure,

and gey soon lauch me oot o
this glaiket business
that's mebbe excuse for a wheen lines.
It's a braw muse, ye ken, erotic distress.

LOVE FINALLY

It is for me, mair and mair,
in simple things that oor love's revealed:
the touch o grey in your bleck hair,
my bauldin pow whause strands soon maun yield

or the laist flourish o his coxcomb youth
faas. And the veins o your legs are, my dear,
kenspeckle noo. Yet love, we've fund, in truth,
isna my ootwar' dwine nor yours, the fear

o surface gane, as gif wi eident sicht
we'd glowert intil a pond or we'd learnt
hoo muckle there is bides aneath the bricht
tap-sheen—but yon truth, like aa, maun be earnt,

and whit's gained then is a silence ayont
onie silence, gif ye ken whit I mean,
and the noisy ghaists o youth dinna haunt
the quiet room whaur, wi nae space atween,

we lie thegither, lie still thegither,
an' hear at the winnock the sclammer o birds
in the simmer o their life, or thole sair weather
and say nocht, yet fear nocht, in love ayont words.

SHE HELD ME SYNE

I speirt o my wife
whit she thocht o daith
but got nae answer
save a smile. "The laist braith,"

says I, "think on't, the laist
sicht o the warl, nae mair
the sun nor the sang o birds—"
She aye sat knittin there

an' whiles nodded an' whiles didna,
which gart me think
she mebbe didna gie the business the airs
that I did. Syne "drink,"

she says, "will be your doonfaa."
I fair took the dorts at her spite,
thinkin she meant I wis drunk
again, which I wisna, no quite.

"Ye dinna unnerstaun," I said,
"hoo important it is; gif ane
cuid live aye wi the presence
o the final day, the final pain—"

But she went on knittin or I
begood tae jalouse it wis mebbe me
that didna unnerstaun; manacled
by daith-thochts I wisna free

but raither wis aye imprisoned.
"Whit's the answer, then?" I thunnert.
She didna let on, juist clickit her pins
and I went tae bed, girnan, scunnert.

I didna sleep tho and whaun she
cam up the stairs an' 'neath the sheets
we lay thegither and she held me syne
as a mither dis whaun a bairn greets.

93

A GREEN THREID

Ootside
the rain,
inside
the warmth and the silence,
you wi embroidery,
me wi a book,
and no a word spoken,
but ilka stitch a pairt o the haill.

My book says:
Let me not
to the marriage of true minds
admit impediments.
You draw in a green threid,
ilka stitch a pairt o the haill,
as the rain faas wintery
ootside.

FREMMIT YET

I watch you rise and see in shairp licht
your body ootlined aneath the nicht
dress and suddenly you seem
as fremmit til me as lang syne,
afore your body wis kent tae me, the dream
and the real that still, despite aa, winna twine.

THE THIRD DAIRK

The first dairk
wis dairk o storm.
We had forekent it
by the heat—mair than waarm,
yon smoorin wye.

Whaun it broke
we were safe inside
an' stuid at the windae an' watched the lichtnins,
heard the thunner, cried
wi delight at stottin rain.

The saicont dairk
wis dairk o nicht
aifter the storm;
the starns were bricht
and the muin in its laist quarter.

Oh it wis bonnie
an' we laucht an' pointed oot
the settlements o constellations.
It wis a moment whaun love shot its fiery root
deep intil us, mind?

Twa dairks we hae kent,
dairk o storm and o nicht,
and tholed baith. It's the third
I fear, withoot rain, joy, licht,
or you, dairk but dairk.

I see me staun
alane, wi een that brichten nae mair
for lichtnins, for starns in order.
Whit fire, whit order, wi you no there?
Dairk, the third dairk, nocht but dairk.

THIS RAINY NICHT

A thoosan miles an' cities atween us
an' a smirr that's drookit me,
mooned the skull aneath my thinnin hair.
Sad weather dreeps frae ilka brainch.
Bleck pools i the lamplicht
tremmle, like nakit skin
that shivers wi cauld
or wi the touch o the lover I wad be for you
this rainy nicht, this rainy nicht.

PROTECTION

You lie still
asleep as the dawn
whitens the room
and I watch ane

I've lain wi an' loved
fifteen year: an airm
cuist owre een
as gif tae ward frae sicht

an eemage o terror
or unco beauty,
a sun owre bricht.
Helpless, near, ye seem

noo, frail as a bairn
wha lippens on the strength
o adults for keep—and yet
I ken the staills o strength

that brace ye and this
is, in a wye, but fantise
on my pairt, the man the moment
protector—but still

you lie as ane in need
o care and I wad gie it
gif ever I thocht
ocht ploitert wi yer peace.

And yet, tae, oh I ken you (and you me;
aifter fifteen year nae wunner)
and ken ye'd cry there's but ae thing
I need protectin frae, ye scunner!

SABBATH

This lang straucht,
the road til God wha'd glowre
f'ae his muckle grey hoose at the end o the street
an' never laucht.

We shauchelt there
stairched, stiff suits, stiff hair slairged owre
wi Brylcreem, sleekit dacklin feet
'fore God's oorie lair.

The meenister spak
heich abuin us on slidderie pew;
we daurdna fidge, tho it near gart us greet,
bramble-eed elders thorny at the back.

Syne in a room
wi nae a smitch o sunlicht squeezin through
thick broon drapes, wi nae heat,
spored wi dunk gloom,

thin Miss Pert
wad lear us o sacrifice, o daunnerin tribes,
wad lear us the books o the Bible or we cuid repeat
the haill by hairt.

Oh it wis drear
in a cubby-hole cauld eneuch tae gie ye kybes,
an' the dronin 'oor wis niver fleet,
the lowsin-time niver near.

I mind it yet,
fushionless seasons dowie wi prayer,
the congregational bleat.
I canna forget

and still whaun I see
yon biggin I grue, gowp caller air;
memory and the present meet.
I warsle wi deils—or angels—wad fecht or free,

for that drossy God
like a spider in a neuk,
lours in ae dairk chaumer o my spreit
or I'm fykesome, wi mair nor a dod,

or I girn til the lift
but mindin like a fish-heuk
cleeks me gaspin, guilt an' dorty voices beat
aboot my skull. God's thrawn tae shift.

MEMORIAL DAY

Daith. Sacrifice.
Wi howe an' chitterin
sacramental voice
the meenister
wi muin-white face
abuin robed black
appealed for the sun of grace
to shine on us, bairns
gaithert in a dowie place.

But this wis November
and nae birds sang
nor sun shone
for oor ordered cless;
only the trumpet's quav'rin notes,
tremmlin dowieness o cauld bress,
and syne,
wi stound o distant mairch,
rain battered gress.

We turnt awa
an' straiggelt hame.
Lang years aifter
I hear it and feel it
yet, the trumpet,
the sermon, and the rain,
and see ilka bairn wi drookit heid,
steepit poppies claucht in hauns,
fingers fyled wi reid.

IN THE AULD KIRK

Yark oot
aa stops!
Let muckle music fill
ilka space o halie grund
whaur pleas for grace hae risen
thro centuries o desire.
Let the fu notes dirl
and the lang tune wivven
oot o aefauld soonds
intil ae wappin greement
peal
this moment
at ane wi uncheengin saucht
this faith
that bides amang the crypts
o the lang deid
the voices
o disremembered choirs
owrecome
o human voices
raxin for harmony oot o dissonance—
stained gless
bleezes i the sun
wi glore that's won thro blinks and aeons
frae dreicher blintrin moments—och—
yark oot
aa stops!

IN THE AULD KIRKYAIRD

I walk amang the graves o the Auld Kirkyaird
whaur monie mariners lie, skeely thrawn men wha dourly raised
mansions tae heiven oot o Baltic linen, hunded the whale cauld-laired
in Greenland waters, cam hame rich, got rum-crazed
whiles, deed on dry land, berthed doucely in a sea-toon
anchored in commerce, biggin muckle hooses on muckle streets,
confident, kennin aa's weel, Victoria haudin the croon
an' war something faur awa an' scrimpy wi defeats—
Joseph Graham, Samuel Grant, Hugh West, John McPhee,
the names cairved deep, a ship on ilka stane
mindin us o whit they were, men tae be reckoned wi,
skeely thrawn men, liggin i the mools, cauldly alane.

A place for ilka ane, tho, in the Auld Kirkyaird:
the ill-cleckit, the wanchancy, muilder here tae 'mang
sic aince-weel-kent names—Jessie Chalmers, wha maun 'ae fund it hair
in Paton's Jute Mill, hoastin wi stour, livin nae lang
but lang eneuch for her bairns tae dee afore her at 6 and 3,
William and James, "gone to their Maker," an' lowpin yet,
nae doot, i the aye-green fields whaur there shanna be
dwang or dool, only caller bricht air, whaur consumption canna fret
lungs meant for breathin. Simple stanes for sic as thae
wha deed owre young tae ken the warp o life.
Arthur Baxter, William Smith, Andrew Johnson, Alexander Gray,
the laist wi's faither Robert, and Elspeth, anither "beloved wife."

The tradesmen's tools are heist wi pride: a saw and a plane
crossed clypes Joseph Smith's dab haun wi the wuid; a loaf o breid
abuin John the Baxter, a truwel and bricks for David Main.
In the shadda o the steeple, in the Auld Kirkyaird, the lang-deid
weary awa til nocht. Nae new arrivals worry them
sin the place shut doon; they're gey near forgot,
wha lived in this toon, wrocht here, but ach, it's easy tae condemn
a tenancy for the deid—they dinna protest an' canna vote.
I walk amang them, graves skew i the wun, some cuist doon,
and feel my mortality mair in sic beliggert circumstances,
and try tae see them as they maun hae been whaun this dozent toon
birred wi life, haas birlin wi fiddlers, wi skirlin dances.

I wad see them in their livin, no disannulled here—
Skipper West, Joseph Graham, maisters o the wheel;
McPhee lauchin i the teeth o a big wun's steir,
Jessie swirlin girlish wi lichtsome heel,
Andy Johnson chappin on ilka door i the street
an' rinnin lauchin, roosed wifies nievin air ahent.
The tang o spails in Joe Smith's shop, the sweltry heat
in Jock Baxter's, the smell o new-baked breid, the sweet scent
o iced cakes—aa's brent noo, tho the aise o the cindert deid
is a stour in my heid. I steek the gate an' strauchle awa
intil new Montrose, 'mang fowk yet gash wi ghaistly faces,
or I come til mysel, here, solidly wi them aa,
pairt o this place. I canna tine the present airs an' graces

but maun live wi them, ay, an' dee wi them, and it's only the steeple
ootbides us aa, spirin til a lift no sae drumlie aince
wi cloods o doot, the muckle bell clappin on the people
ilka Sunday, the waxed pews fu an' merest snifterin glance
nailin wha's no here, an' shuid be. That snod faith's gane,
but the steeple aye thrists frae the hairt o the toon,
the Auld Kirkyaird aside it, whaur the deid were lain
and grutten for lang syne. I ken the names. I hae written doon
a pickle and left oot monie, but aa maun rane the like story,
tho the truth o't I canna richtly tell: it's aiblins true
that ilka ane, rich and puir, as the stanes hae't, has "gone to glory,"
or mebbe it's no. The steeple bell dunts the time noo.

MAIR LICHT

The chirikin chirlin chook o a blackie
on the shedruif in the gairden ae day
in simmer, as the gloamin settled,
gart me speir whit roosed him sae,
but I cuidna jalouse it, no bein privy
til the habits o blackies, an' he, weel,
wi the mense dootless that generations
o his species hae gaithert, didna let on,
didna hover in his ootbrust at whitever
deaved him intae sic lang complaint
but cairried on, e'en as it grew fell dairk
an' he wis juist that wee-bit dairker
'gainst the lift. He gaed on girnan
(I caa it girnan but mebbe it wisnae,
mebbe it meant some other thing hailly,
but tae my lugs he carkit) and I at laist
gaed til bed, thinkin on hoo unmensfu
some craturs are gin their dander's up.
God kens whaun he stoppit, for I won sleep
an' shut oot his noise for near echt 'oors.
Neist nicht, tho, he wis at it again,
chirikin, chirikin, tae aa the dairkened airts
as gif scunnert wi the nicht. I canna blame him.
Mebbe I kent mair nor I thocht or mebbe, as fowk wull,
settled on him my ain gloamin thochts.
He'll never ken me nor I him;
he howks up worms, I howk up yirth:
a communion o a kind but atween us
the muckle fields o creation spreid oot,
him in his, me in mine, and only whiles,
gin I stairtle him or he me, dae we tak
notice o each ither, tho oor maundaes are aiblins
no as faur apairt as they micht seem.
We baith glowre on dairk, get roosed up, an' syne
cark, cark, cark, as gin we'd some cangle wi nicht
and cried oot: Mair licht! Mair licht!